KB103824

발명과 창작 너도 해봐!

발명과 창작 너도 해봐!

발 행 | 2024년 5월 24일
저 자 | 글 정하윤
디자인 | 강다윤
펴낸이 | 한건희
펴낸곳 | 주식회사 부크크
출판사등록 | 2014.07.15.(제2014-16호)
주 소 | 서울특별시 금천구 가산디지털1로 119 SK트윈타워 A동 305호
전 화 | 1670-8316
이메일 | info@bookk.co.kr

ISBN | 979-11-410-8615-2

www.bookk.co.kr

발명과 창작 너도 해봐!

-정하윤 지음

머리말

나는 매일 숲을 가꾼다
동물과 이야기를 하고
먹이를 나눠 준다
마을을 만들고
카페를 만들고
옷가게를 만들고
편지를 써 준다
나는 동물을 맘껏 사랑해 준다
모두 게임일뿐이지만
내 게임에 있는 동물들은
모두모두 행복한데
지구에 사는 동물들은 행복할까?

일본 N사 게임을 하며 현실과 가상을 비교해보곤 한다. 초등학교 때 발명영재교육원과 융합영재원을 다니면서 코딩과 아두이노를 배웠는데, 과학원리를 조금만 적용해보니 상상했던 물품이 만들어졌다. 그 때의 스펙 덕분으로 전국 학교에 1명씩 과학기술부 장관을 수여하는데 내가 받는 기쁨도 맛보았다. 중학교에 와서 과학 실험보고서를 쓰거나 과학 발명경진대회에 작품을 내어 상을 받기도 했는데, 학교의 중간·기말고사 등으로 과학에 대한 꿈을 지속하기가 쉽지는 않았다. 과학 발명, 융합 창작에 대한 뜻을 저버리지 않기 위해 기록하고 남겨본다.

차 례

하늘에서 고기가 내린다면 -심심풀이 오락게임

게임을 만들게 된 계기

우리집 강아지 만두가 고기, 생선만 좋아하는데, 편식을 하는 강아지의 특성을 활용하여 [하늘에서 고기가 내린다면]을 만들어 보았습니다. 게임에서라도 당근과 사과를 먹으며 더욱 건강한 반려견이 되었으면 하는 바람을 담았습니다.

플레이 방법

이 게임은 만두가 싫어하는 음식(당근, 사과)은 피하고, 좋아하는 음식(고기, 생선)을 먹으며 행복도(점수)를 올리는 게임입니다.

좋아하는 음식

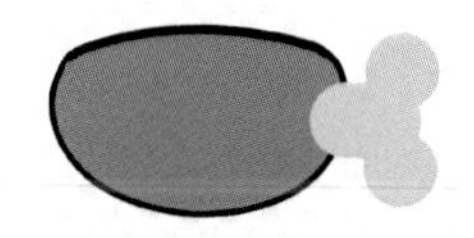

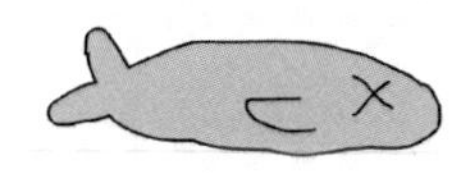

싫어하는 음식

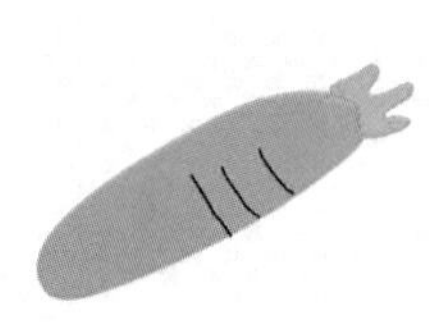

좌우 방향키로 조작할 수 있다.

코드 소개

만두 코드

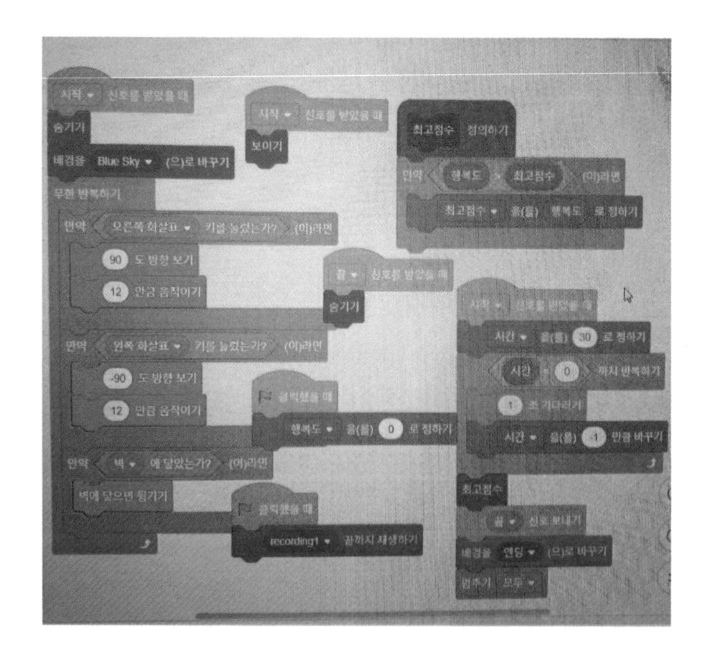
시작 신호를 받았을 때
숨기기
배경을 Blue Sky (으)로 바꾸기
무한 반복하기
만약 오른쪽 화살표 키를 눌렀는가? (이)라면
90 도 방향 보기
12 만큼 움직이기
만약 왼쪽 화살표 키를 눌렀는가? (이)라면
-90 도 방향 보기
12 만큼 움직이기
만약 벽 에 닿았는가? (이)라면
벽에 닿으면 튕기기
시작 신호를 받았을 때
보이기
최고점수 정의하기
만약 행복도 > 최고점수 (이)라면
최고점수 을(를) 행복도 로 정하기
끝 신호를 받았을 때
숨기기
시작 신호를 받았을 때
시간 을(를) 30 로 정하기
시간 = 0 까지 반복하기
1 초 기다리기
시간 을(를) -1 만큼 바꾸기
최고점수
끝 신호 보내기
배경을 엔딩 (으)로 바꾸기
멈추기 모두
클릭했을 때
행복도 을(를) 0 로 정하기
클릭했을 때
recording1 끝까지 재생하기

버튼 코드

시작하기

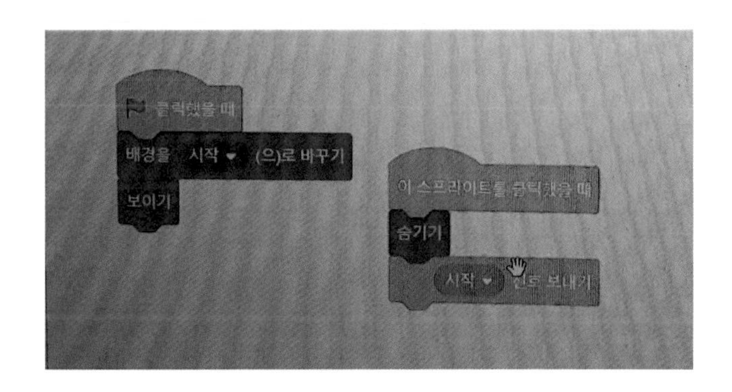

당근과 사과의 코드

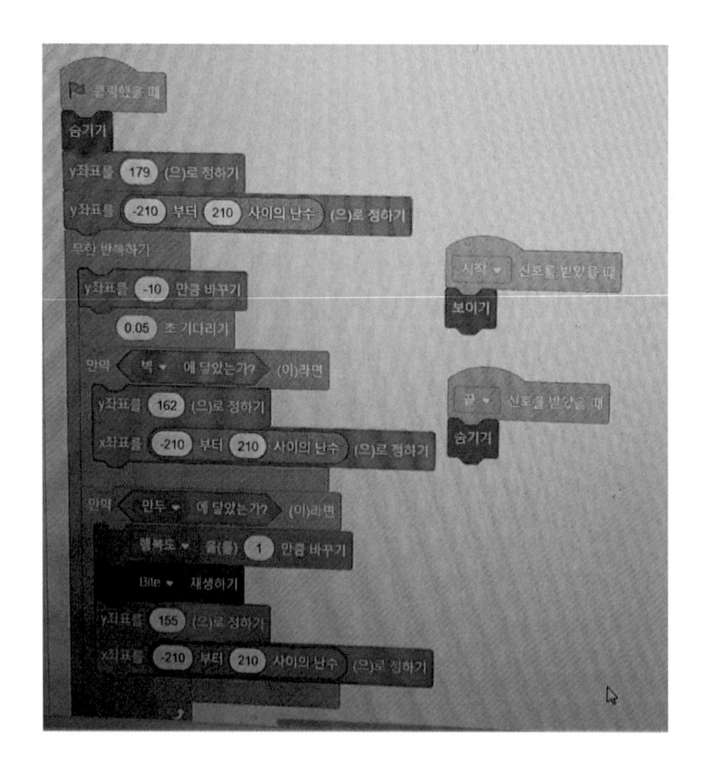

클릭했을 때
숨기기
y좌표를 179 (으)로 정하기
y좌표를 -210 부터 210 사이의 난수 (으)로 정하기
무한 반복하기
y좌표를 -10 만큼 바꾸기
0.05 초 기다리기
만약 벽 에 닿았는가? (이)라면
y좌표를 162 (으)로 정하기
x좌표를 -210 부터 210 사이의 난수 (으)로 정하기
만약 만두 에 닿았는가? (이)라면
행복도 을(를) 1 만큼 바꾸기
Bite 재생하기
y좌표를 155 (으)로 정하기
x좌표를 -210 부터 210 사이의 난수 (으)로 정하기
시작 신호를 받았을 때
보이기
끝 신호를 받았을 때
숨기기

고기와 생선의 코드

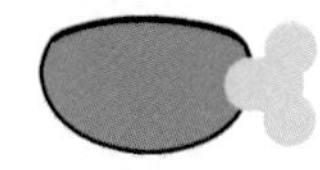 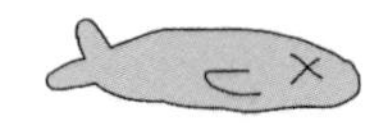

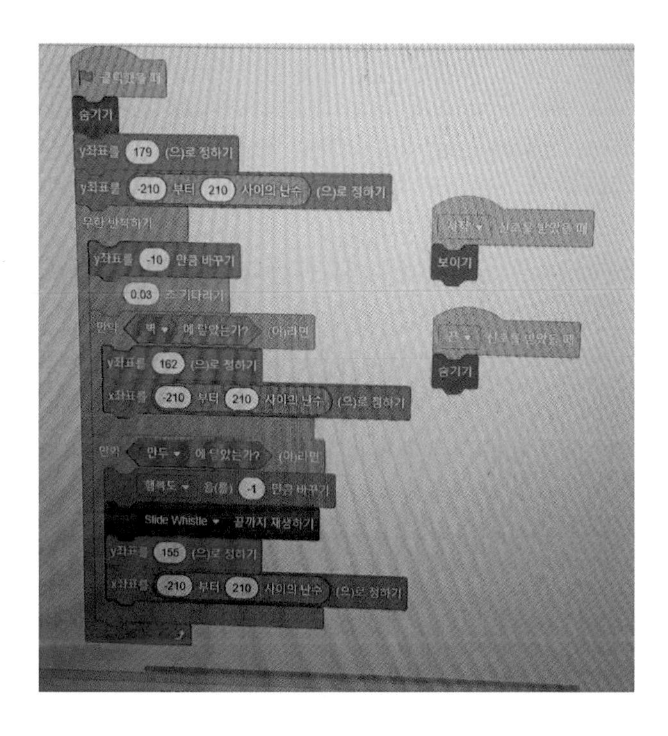
숨기기
y좌표를 179 (으)로 정하기
y좌표를 -210 부터 210 사이의 난수 (으)로 정하기
무한 반복하기
y좌표를 -10 만큼 바꾸기
0.03 초 기다리기
만약 벽 에 닿았는가? (이)라면
y좌표를 162 (으)로 정하기
x좌표를 -210 부터 210 사이의 난수 (으)로 정하기
만약 만두 에 닿았는가? (이)라면
행복도 을(를) -1 만큼 바꾸기
Slide Whistle 끝까지 재생하기
y좌표를 155 (으)로 정하기
x좌표를 -210 부터 210 사이의 난수 (으)로 정하기
보이기
숨기기

게임 시연

https://scratch.mit.edu/projects/561797112

노래 출처- 메이플스토리(에레브bgm)

느낀 점

저 혼자 게임 기획, 코드 만들기, 디자인, 실행까지 하는데 많은 시간이 걸렸습니다. 게임을 만드는 회사들이 정말 대단하다고 느꼈습니다. 게임 회사에는 각 분야 전문가가 맡아서 완성하니 정밀도와 완성도가 높은 것은 분명하나 시판 이후에 판매 실적이 저조하면 참 안타까울 것 같습니다.

게임 창에서 음식이 닿을 때 인식이 잘 안 되어서 답답했었는데 계속 코드를 바꿔가며 시도하니 오류가 고쳐졌습니다.

여러 오류를 거치고 게임이 완성되니까 큰 희열감이 생겼습니다.

-실험탐구

식물이 가장 잘 자라는 액체는 무엇일까?

탐구 내용 및 중간 보고

★준비물: 흙, 화분, 무순씨앗, 물, 발포비타민, 탄산수

★ 탐구 방법

1. 3개의 화분에 흙을 담고 그 위에 각각 무순 씨앗 20립을 얹어준다.
2. 각각의 화분에 물, 탄산수, 발포비타민 녹인 물(이때 비타민의 양은 반 알)을 50ml를 준다.
3. 한 달간 결과를 관찰한다.

★ 탐구 진행(과정) 계획

탐구 기간: 2022년 8월 28일~9월 28일

-가설: 물> 비타민> 탄산수 순으로 자랄 것이다

-이유: 식물이 자라는데 수분과 영양분이 풍족할수록 잘 자랄 것이다.

(4일차) 비가 많이 와서 일조량이 적은 탓에 싹이 4일 만에 났다. 비타민을 준 화분엔 곰팡이가 폈다.

(5일차)

★ 반성 및 향후 계획

주제를 너무 뒤늦게 바꾸는 바람에 탐구를 5일 밖에 하지 못했다.

물을 주는 것을 까먹고 안 준 날이 있었는데 실험 정확성이 떨어질 것이다. 앞으로 매일매일 물을 주고 사진을 찍어야겠다.

탐구 내용 및 결과

★ 탐구 내용에 포함된 과학적 원리

비타민 물을 준 무순에서는 곰팡이가 피고 잘 자라지 않았는데 비타민을 과잉 섭취하면 부작용이 일어난다. 내가 투여한 발포 비타민은 지용성 비타민인 비타민A, 비타민D, 비타민E가 포함되어 있었는데 식물 속과 흙 안에 축적되어 배출되지 못해서 흙에 곰팡이가 피고 발아가 잘 되지 않았다.

★탐구 수행 중 수정, 보완해야 할 점

원래는 탄산수를 준 식물도 실험을 했으나 식물에 물을 준것과 성장에 큰 차이가 없고 비타민과의 연관성도 적어서 탄산수는 실험에서 제외하고 비타민 물을 준 식물과 물을 준 식물에 대한 연구를 할 것이다. 또한 비타민 과다문제로 인해 앞으로는 비타민의 양을 절반으로 줄여서 실험을 계속 진행할 것이다.

★ 탐구 결과 분석 시 유의해야 할 점, 참고해야 할 점

탐구 결과를 분석할 때 발아율, 무게, 평균길이로 분석을 하는데, 발아가 된 씨앗의 기준은 식물의 길이가 0.5cm 이상 이여야 하고 무게는 식물에 묻은 흙을 모두 제거하고 뿌리까지 같이 무게를 잰다. 평균 길이는 줄기의 시작점부터 잎까지로 한다.

★ 반성 및 향후 계획

사진을 매일 찍지 못했고 식물 관리를 소홀히 했다. 식물 관리를 잘 해서 좋은 연구를 할 것이다.

아두이노로 만들기

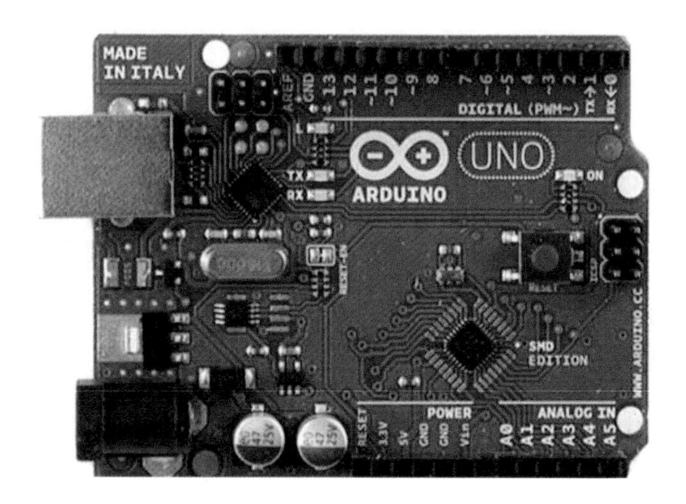
MADE
IN ITALY
DIGITAL (PWM~)
UNO
ARDUINO
TX
RX
ON
SMD
EDITION
WWW.ARDUINO.CC
POWER
ANALOG IN
A0 A1 A2 A3 A4 A5

ARDUINO

아두이노를 컴퓨터나 스마트폰에 연결해서 코드를 입력하면 여러 가지 재미있는 생활용품을 만들어 볼 수 있습니다. 간단한 코드를 입력하면 스마트 휴지통, 블루투스 무드등, 360도 회전하는 미니언즈 박스 등을 만들 수 있습니다.

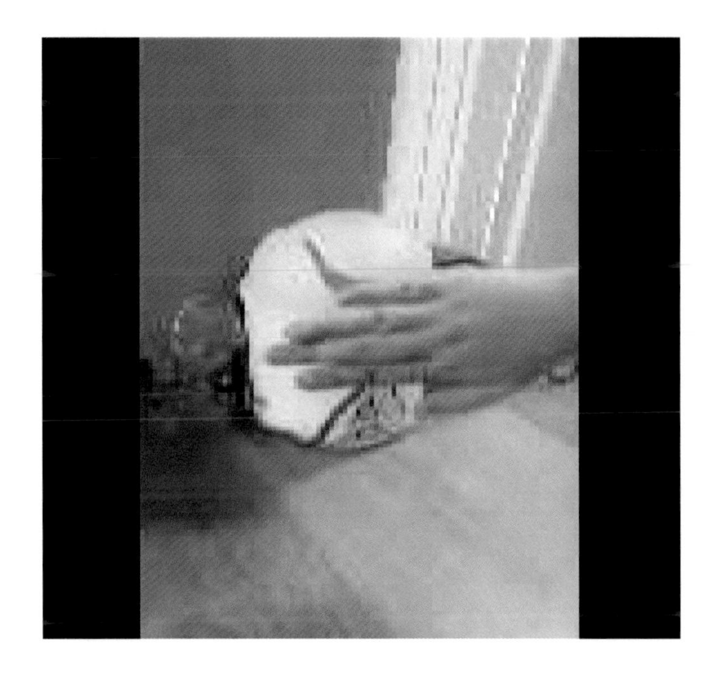

스마트 휴지통

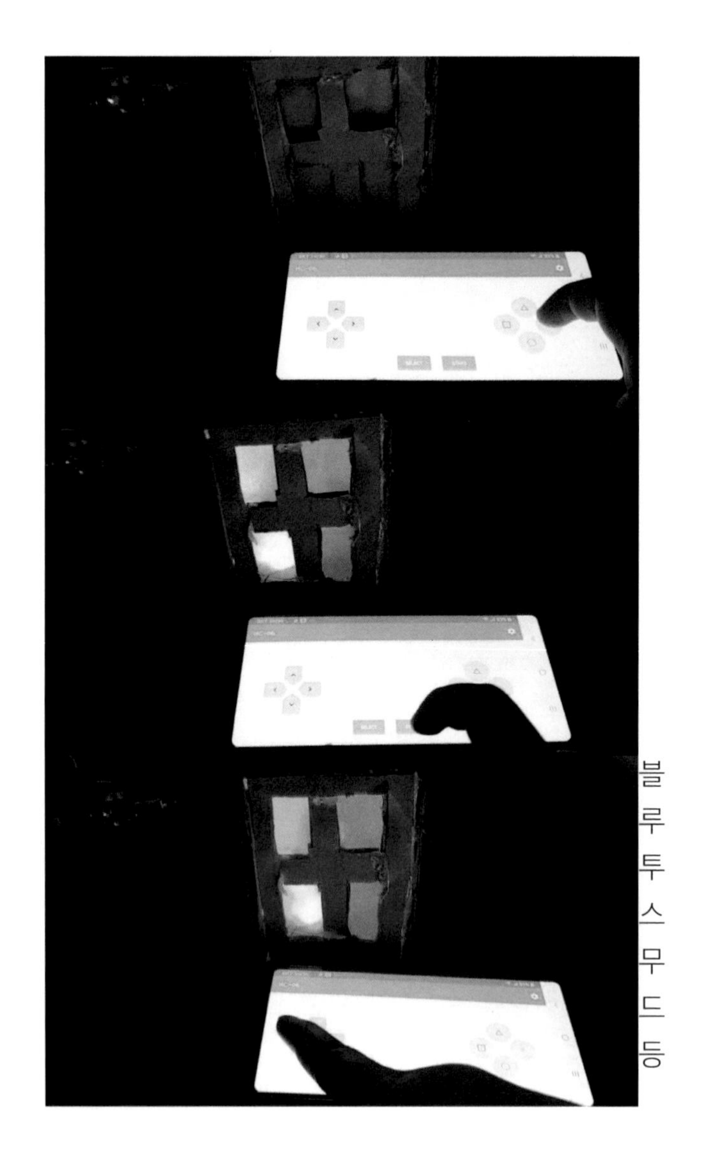

블루투스 무드등

360도 회전하는 미니언즈 박스

그린마블 -환경을 생각하는 보드게임

(제44회 성북강북학생과학발명품경진대회 작품요약서)

1. 제작 동기

지구의 온도가 조금이라도 높아지면 우리 환경에 미치는 피해가 막심하다. 지구 온도 6도가 올라가면 지구가 멸망하게 된다는 사실을 알았을 때 충격을 받았다. 어린이들이 어릴 때부터 환경보호에 대한 인식을 가져서 어떠한 행동이 환경에 위협이 되고 환경을 악화시키는지를 재미있는 게임을 통해 좀더 능동적으로 알게 하고 싶다. 또한 왜 환경을 지켜야 하는지 생각하면서, 게임을 통해 저절로 환경교육이 되도록 이 보드게임을 만들었다.

2. 작품 내용

가. 작품요약(100자)

그린마블은 보드게임의 한 종류이다. 주사위를 굴려서 칸을 이동하고, 국가를 개발할지, 개발하지 않을지 정한다. 국가의 개발점수가 가장 높은 국가가 이기는데, 지구를 생각하지 않고 무작정 개발하다가는 이기더라도 “멸망한 지구의 승리자”라는 오명이 붙게 된다. 따라서, 진정한 승자는 환경을 지키는 사람이 되며, 패자는 환경을 못 지키는 사람이 된다.

나. 작품의 원리 및 독창성

1. 국가와 순서를 정한다.
2. 주사위 1개를 굴려 나온 수 만큼 말을 이동한다.
3. 도착한 곳에 맞게 지구온도를 올리거나 내린다.
4. 모든 국가(게임참여자)가 3번째 돌고 난 후, 개발,미개발,환경개발에 대한 결정을 한다.
5. 개발 결정을 2회 이후, 국가회의를 2분 동안 한다.
6. 개발 결정을 3회 한 후, 게임을 종료한다. 개발점수가 가장 높은 참여자가 우승한다.
7. 우승자에게 지구온도가 상승된 만큼에 따라 승리자 카드를 지급한다.

대부분의 보드게임에서는 개발을 많이 해서 우승만을 목표로 하지만, 이 게임은 우승보다는 안전한 지구를 만드는 것을 목표로 한다. 현실이나 게임에서도 이기심에 치우쳐 우승자가 되기만을 바라게 되면 결국 지구를 파괴하게 되는 결과를 얻게 된다. 우승자가 받는 승리자카드에는 지구의 온도가 상승하면 우리에게 해가 되는 것들을 적었는데, 개발만이 옳은 길이 아니라는 메시지를 담았다.

3. 제작 결과(기대효과)

음식물을 남기거나 일회용품을 쓰는 일을 무심코 하게 되는데 이 그린마블을 자주 하다보면 환경을 지켜야겠다는 경각심과 인식이 생성될 것이다. 환경을 생각하지 않고 했던 행동들과 사소한 것들이 지구의 온도를 상승하여 지구멸망을 부추기게 된다는 결과를 깨달을 수 있다. 지구의 평균온도를 높이는 행동을 삼가거나 주의하게 될 것이다. 남녀노소 모두가 이 그린마블 게임을 하면서 환경지킴이가 되기를 기대한다.

그린마블 게임방법

1. 국가와 순서를 정합니다
2. 주사위 1개를 굴려 나온 수 만큼 말을 이동합니다.
3. 도착한 곳에 맞게 지구 온도를 올리거나 내립니다.
4. 모든 국가(게임참여자)가 3번째 돌고 난 후, 개발,미개발,*환경개발에 대한 결정을 합니다.(결정에 따라 얻는 개발점수가 달라집니다). 모든 참여자의 총 개발점수에 따라 지구온도를 올리거나 내리는데, 많은 참여자가 개발을 하면 지구가 멸망할 수 있으니 주의해야 합니다.
5. 개발 결정을 2회 하고 난 후, 국가회의를 2분동안 합니다. 이때 지구 온도를 낮추려는 자신의 계획을 말합니다.
6. 개발 결정을 3회 한 후, 게임을 종료합니다. 이때 개발점수가 가장 높은 참여자가 우승합니다.
7. 우승자에게 지구 온도가 상승된 만큼에 따라 승리자 카드를 지급합니다.

주의사항
지구 온도가 6도 올라가서 멸망한다면 게임은 끝납니다. 6도가 올라간 시점에서는 점수가 가장 높은 사람이 우승자가 됩니다.
지구 온도와 자신의 국가의 개발점수는 수시로 기록합니다.
이 게임의 진정한 목표는 멸망하는 지구의 우승자가 되는 것이 아닌, 협력적인 태도를 가지고, 안전한 지구를 만드는 것입니다. 현실이나 게임에서도 이기심에 치우쳐 우승자가 되기만을 바라게 되면 결국 지구를 파괴하게 되는 것입니다.

[특수지역]

QUIZ

퀴즈 칸에 도착하면, 퀴즈카드 하나를 뽑아서 도착한 사람이 퀴즈를 풉니다. (정답 확인은 다른 참여자가 합니다) 이때 정답을 맞췄다면 지구온도를 0.2도 빼고, 틀렸다면 +0.2도 더합니다.

SPECIAL CARD

스페셜 카드 칸에 도착하면 도착국가(도착한 참가자)가 스페셜 카드 하나를 뽑고, 스페셜 카드에 나온대로 따릅니다.

개발점수에 따른 지구온도 상승표

개발점수가

참가자수×3 이하일 때
지구온도 -0.3°

참가자수×5 이하일 때
지구온도의 변화없음

참가자수×8 이하일 때
지구온도 +0.5°

참가자수×10 이하일 때
지구온도 +0.7°

꿈을 파는 가게

등장인물: 하윤, 다미, 한비, 선생님, 손님

S#1 교실

선생님: 지금부터 자신의 꿈에 대해 발표해볼까요?

하윤: 저의 꿈은 돈을 잘 버는 사장입니다.
저는 돈을 무조건 많이 벌고 싶습니다.

선생님: 돈을 많이 벌어야 하는 특별한 이유가 있나요?

하윤: 돈을 많이 벌어서 큰집도 사고요. 비싼 스포츠카도 사고, 백화점 VIP회원이 될 거예요. 음, 성형수술도 해야겠다.

선생님: 하윤이가 돈 많이 벌어서 하고 싶은 게 많구나. 그럼 한비가 말해볼까요?

한비: 저의 꿈은 일단 좋은 대학에 가는 거구요. 대

학을 졸업하면 아빠 회사를 물려받을 거예요.

다미: 저의 꿈은 작가입니다. 돈은 잘 못 벌어도 제가 하고 싶은 일을 해야 행복하니까요.

이 때 '딩동댕' 종이 친다.

선생님: 여러분 모두 꿈을 이루기 위해서 꼭 노력하세요. (문 열고 나간다)

하윤(다미에게 다가가서): 넌 꿈이 뭐 그러냐? 작가해서 뭐 먹고 살려고?

한비: 맞아. 작가하면 너무 찌질하게 사는 거 아냐? 우리 이모도 작가인데 너무 돈을 못 버니까 지금은 카페하고 있어.

다미: 너네들 너무 하는거 아냐? 베프한테 너무 심한 거 아냐?

하윤: 베프니까 진짜 너를 생각해서 하는 말이지. 현실을 보라고 다미야!

한비: 그래 다미야. 우리니까 너에게 이렇게 말해주

는 거지. 딴 애들은 니가 작가를 하든 말든 관심도 없잖아.

다미: (화를 내며) 됐어 그만해!(밖으로 나가버린다)

하윤: 다미는 착하고 좋은데 고집이 너무 세다니까.

한비: 그러니까. 공부 잘해서 좋은 대학 나오고 좋은 회사 다니고 그러면 되는 거 아냐?

하윤: 하여간 다미는 황소고집이야. 황고집한테 가보자.

한비: 그래. 삐진 우리 황고집양 달래줘야 우리가 친구 아니겠니 ㅋㅋㅋ

세월이 흘러 15년 후

S#2 하윤의 집 현관

하윤이는 조간신문을 집어든다.
신문에 작가 황순이 인터뷰 사진이 있다.

하윤: 황순이? 어디서 많이 본 얼굴인데?

(신문을 자세히 들여다본다. 알바 구함이라고 적힌 가게로 들어간다.)

S#3 다미네 가게

다미: (손님과 대화중이다) 어서 오세요

하윤: (머뭇거리며) 알바 구하신다고 해서~

손님: 3만원 맞죠?

다미: 네. 감사합니다. (손님 나가고)

하윤: (여기저기 둘러보며) 책이 많네요.

다미: 아~ 그거 제가 쓴 책들이에요.

하윤: 아~ 작가시구나. 어디서 많이 본 얼굴인데

다미: 제가 그런 소리 좀 많이 들어요. 흔하게 생겼나봐요. 그런데...

(서로 동시에 말하며) 정릉초 황다미? 정하윤?

(서로 끌어안는다)

하윤: 반갑다. 반가워, 이게 얼마만이야?

다미: 너 정말 많이 예뻐졌다. 돈 벌어서 성형한 거야?

하윤: 성형은 무슨. 나 원래 예뻤어. 다미야. 너가 <뚱보아줌마>를 쓴 황순이 작가니?

다미: 응. 맞아.

하윤: 근데. 이름은 왜 바꿨어? 다미가 더 예쁜데?

다미: 다미라는 이름으로 소설을 냈는데 사람들이 잘 모르더라구. 황순이라는 이름으로 바꾸고 냈더니 사람들이 재밌다고 하네.

하윤: 그래 맞아. 인생은 운빨이야. 운! 나도 운이 나빠서 지금 이렇게 되었지만

다미: 너는 이전에 기획사 대표하고 아이돌 키운다고 하지 않았니?

하윤: 응, 처음에는 잘 되었는데. 아이돌 중에 일본 애가 한 명 끼었는데, 계약을 깨고 나가버렸

어. 나가서는 이상한 소문을 내는 바람에. 회사가 망해버렸어.

다미: 그랬구나. 너도 많이 힘들었겠다. 너를 보니 한비 생각이 난다. 5년 전까지만 해도 연락이 되었는데.

하윤: 나는 작년까지 한비랑 연락이 되었는데. 내가 망하는 바람에 연락이 다 끊겼네.

다미: 아빠 회사가 망해서 가족들 모두 뿔뿔이 헤어졌다고 했는데.

하윤: 응. 한비는 약혼까지 했는데, 아빠 회사가 망하니까 그 남자가 결혼을 깨버렸다고 하더라

다미: 아~ 너무 나쁘다!

하윤: 그치. 그 남자 정말 쓰레기지.

다미: 하윤아, 우리 한비 좀 찾아보자.

하윤: 그래. 좋아. 근데 나 여기서 일해도 되는 거니?

다미: 그럼 당연하지. 오늘은 빨리 문 닫고 우리 한비 좀 찾아보자

S#4 계단 (야외)

다미가 먼저 앞서간다.

하윤: 힘들어~ 이 길로 가는 거 맞아?

다미: 응 조금만 더 가면 돼.

S#5 한비 방 (어질러져 있다)

다미: 한비야, 좀 일어나봐. 하윤이도 왔어

한비: 왜 왔어. 내가 오지 말랬지
다미: 한비야. 너 왜 그래?

한비: 됐어. 나 오늘 얘기할 기분 아니야.

다미: 그러지 말고, 우리 밥 먹으러 가자.

한비: 지금 밥이 문제야! 내가 얘기할 기분 아니라

고 했잖아

하윤: 이한비! 너 되게 이기적이다. 너만 망했니? 나도 망했어. 아빠는 병원에 계시다며. 너라도 일해서 정신 차려야지. 이게 다 뭐니? (방 안에 있는 술병을 치며)

한비: 잔소리 좀 그만해! 너네들 얼굴 보고 싶지 않아. 그만 좀 나가! (하윤과 다미를 내쫓는다)

S#6 밤, 한비 방

E. 카톡 카톡 (다미에게서 온 문자)

한비야, 네가 오지 말라고 했는데 집으로 찾아간 건 정말 미안해. 네가 너무 걱정이 되어서 갔는데. 생각한대로 네가 너무 힘들어보여서 나도 가슴이 아팠어.

한비 (운다)

다미야~ 미안해

S#7 다미 가게

한비가 들어간다

하윤: 어~ 한비야. 여기 웬일이야?

한비: 하윤아, 여기 다미 사장님이 오라고 했어
(다미를 보며) 나, 여기서 일해도 되지?

다미: 당연하지!

하윤: 좋아, 일단 우리 밥부터 먹자!

(장면 바뀌고)
손님이 물건 고르는 중
하윤: 요즘 이게 제일 잘 나가요.

손님: 그럼 그걸로 주세요. 얼마죠?

다미: 15000원입니다. (손님과 돈 주고받으며) 감사합니다. (손님 나가고) 너희가 와서 일이 더 잘 되는 것 같아.

E: 전화벨 (하윤폰으로 전화가 온다)

하윤: 네 맞는데요.

네, 진짜요? 감사합니다.

한비: 뭐야?

하윤: 이전 기획사 대표가 이번에 회사를 하나 더 만드는데 나더러 실장으로 들어오래

한비: 대박!

다미: 정말 잘 됐다
(서로 끌어안으며)

하윤: 이 가게는 꿈을 주는 가게인가봐.

끝

동영상을 보려면

https://youtu.be/GKJFjNCwlxl?feature=shared

수박씨의 행복 -생명 동화

어느 날 자고 일어나니 나는 빨간색 공간 안에 갇혀 있었다.
"안녕, 아가야 나는 엄마야."
엄마는 점점 커져갔다. 사람 남자가 와서 엄마를 답답한 트럭에 실었다. 다른 아줌마들도 있었다.
좀 자고 일어나니 사람들이 많은 곳에 있었다. 오렌지 아줌마, 사과 아줌마, 키위 아저씨들도 있었다. 사람들은 아줌마 아저씨들을 가져갔다.
"엄마, 사람들이 왜 아저씨 아줌마를 가져가는 거야?"
"사람들을 행복하게 해 주려고 그런 거야. 사람들이 행복해지면 세상이 좋아져."
드디어 사람 여자가 와서 엄마를 들고 차에 실었다.나는 사람들을 행복하게 해 줄 생각에 너무 신났다. 사람 여자가 엄마를 식탁 위에 둔 다음 칼을 꺼냈다. 그러고선 엄마를 잘랐다. 엄마는 붉은 피를 흘리며 말했다.
"아가들아, 나는 너희들 때문에 살았고 행복했어."
나는 엄마를 잃어서 너무나 두렵고 슬펐다. 나는

정말 이게 사람들을 행복하게 해주는 건지 신세 한탄을 하며 울었다.
“나는 왜 수박씨가 되어 가지고 엉엉엉”
엄마를 먹은 사람들은 너무나 달고 맛있다며 좋아했다. 다행히 사람들이 나를 먹지는 않았다. 몇 시간 햇볕에 두어 내 동생들과 함께 나를 말리더니 축축한 흙에 묻어 두었다. 어떤 동생들은 엄마랑 같이 사람 몸 속으로 들어갔다.
“몸 속에 들어간 애들은 어떻게 되었을까?”
“지금 하수구에 들어갔다는데”
“그 아이들에 비하면 우리는 정말 행운아인 거네.”
“그래도 걔들은 엄마랑 더 오래 있었잖아. 우리도 크면 잡아 먹혀야 하잖아!”

한 달이 지났다. 나와 동생 한 명만 빼고 모두 시들어버렸다. 내 배는 점점 불러왔다. 내 몸 속에는 아기들이 가득했다. 나는 동생들이 시들어갈 때 세상이 너무 싫었지만 이제 나라도 꼭 살아서 아기들을 지켜야겠다고 생각했다. 나는 아기들에게 매일 말해 주었다.
“사람들을 행복하게 해 주는 건 좋은 일이야. 나는 너희들 때문에 살았고 행복하단다.”
아기들과 나는 함께 컸고 엄마처럼 식탁 위에 올려

졌다. 사람들에게 먹히기 전까지 엄마의 말이 생각났다.
"사람들을 행복하게 해 주는 건 좋은 일이야. 사랑한다 아가들아."

모카스 시민의 집 - 환타지 소설

섬나라 모카스에는 올리웰라 공주가 살았다.
공주는 키가 크고 말랐다. 눈은 고양이처럼 찢어졌고, 코는 오똑했다. 턱은 길고 뾰족한데, 성격도 그랬다. 공주는 레이싱을 굉장히 좋아했다.

뉴욕에서 자동차 경주대회가 열렸다
"안녕하세요. 저는 레이싱 대회에 사회를 맡은 키리라고 합니다."
자동차경주 대회장에 함성 소리가 퍼졌다.
"자 다음은 261번 참가자 나와주세요."
사람들은 토끼처럼 눈을 동그랗게 뜨고 소리를 질렀다. 바로 올리웰라 공주였다.
"와"하고 공주를 좋아하는 사람도 있었고, "우"하고 싫어하는 사람도 있었다.
공주가 짜증나는 표정으로 말했다.
"아, 난 그런 관심 따윈 필요없어. 내가 원하는 건 바로 1등이지. 음하하하"
공주는 대회에서 당당히 1등을 차지했다. 공주가 여태 받은 메달만 해도 100개가 넘는다. 공주는 오늘 받은 메달을 모카스 궁전에 전시했다.

공주가 메달을 너무 많이 따서 모두 부러워했다.

올리웰리 공주는 한달 후 서울에서 열리는 레이싱 대회에 나갔다. 사람들은 올리웰라 공주가 대회에 참여할 거라 예상했기에 별로 놀라지 않았다. 공주를 만나기 위해 일부러 대회에 나가는 사람도 있었다. 공주의 머리카락을 모으는 사람도 있었고, 공주의 망가진 차를 사는 사람도 있었다.
공주는 이번에도 당연히 1등을 차지했다. 공주는 자신의 나라로 돌아가려고 비행기를 탔다. 공주의 비서가 다급한 목소리로 전화를 했다.
"공주님, 공주님이 대회에 나간 사이 한 시민이 불을 질렀습니다."
"뭐? 그걸 왜 이제 말해?"
"죄송합니다. 공주님은 어서 다른 나라로 대피하십시오"
"아니야, 내가 가봐야겠어."
공주는 자신의 나라에 도착했다.

온 마을이 잿빛으로 번져 있었다. 건물이라고는 공항밖에 없었다. 비서 해피용이 보였다.
"공주님, 왜 오셨습니까? 시민들은 모두 다른 나라로 피난 갔습니다. 신하들도 모두 다 떠났습니다.

공주님도 어서 가셔야죠!"
"아니, 난 안돼. 우리나라에 아무도 없으면 다른 나라가 우리 영토를 빼앗을거야."
"그렇긴 하죠. 그런데 지금 궁전도 사라지고, 남은 건 공항밖에 없습니다."
공주는 크게 실망하여 말했다.
"앞으로 어떻게 하면 좋을까?"
"공주님, 그럼 시민의 집을 만드는 건 어떨까요?"
"왜 그걸 만들어야 하지?"
"지금 우리 나라에 남은 시민은 공주님을 포함하여 12명밖에 없습니다. 시민의 집을 만들면 다른 나라로 가버린 시민들이 돌아올 것입니다."
"그냥 12명이 살면 안 되나?"
"공주님, 나라가 제대로 되려면 시민들이 필요합니다. 시민들이 있어야, 돈을 벌고 나라를 키울 거 아닙니까?"
"알았어. 너의 의견을 참고해볼게"
공주는 깊은 생각에 빠졌다.
'참 어려운 일이네. 해피용 비서 말대로 시민의 집을 지을까? 아니야, 그럼 내가 살 집이 없잖아. 그렇다고 궁전을 지으면 시민들은 안 올테고...'
궁전을 잃어버린 공주는 공항 사무실에서 잠이 들었다.

“해피용! 우리 시민의 집을 짓도록 하지.”
“네, 공주님, 그런데 저희에겐 돈이 없습니다. 어떡하죠? 아~ 예전에 스위스 비밀금고에 메달을 맡겨뒀잖아요. 그 메달을 팔아 시민의 집을 짓는 건 어떨까요?”
“뭐? 내 메달을? 그게 얼마나 귀한 건데? 그걸 말이라고 해?”
“그렇긴 하지만, 시민의 집을 짓지 않으면 공주님 말씀처럼 다른 나라가 우리 땅을 빼앗아 갈 겁니다.”
“흠...그럼 어쩔 수 없지. 빨리 스위스에 가서 내 메달을 가져와 팔아서 시민의 집을 짓도록 하자.”

올리 공주는 스위스로 가는 비행기를 탔다.
“해피용, 메달을 팔면 아파트 수천 개는 지을 것 같은데...맞아?”
“공주님, 물론입니다.”
“그러면 시민의 집을 짓지 말고, 아파트를 지으면 어때?”
“공주님, 우리나라에는 아파트가 어울리지 않습니다. ”
“그런가? 시민의 집은 어떻게 지어야 할까? 하려면 제대로 해야지.”

"공주님, 인터넷에 시민의 집 공모전을 올려서 제일 좋은 아이디어를 뽑아 시민의 집으로 만들면 좋겠습니다."
"그래, 너 은근 머리 잘 쓰는구나. 좋은 생각이야. 너의 생각대로 공모전을 열어야겠어."
공주는 해피용 비서가 모처럼 똑똑해보였다. 해피용은 키는 크지만 몸이 뚱뚱했다. 코가 낮아서 안경이 항상 내려왔다.
"안경 좀 올려 써. 할아버지 같잖아."
공주는 해피용을 보면 잔소리를 했다.
"운동 좀 해. 해피용, 숨소리가 너무 커서 옆에 돼지가 있는 줄 알았어."
그래도 해피용은 공주를 싫어하지 않고 잘 따랐다.

공주의 엄마 아빠는 1년 전에 유럽에서 교통사고로 돌아가셨다. 특히 공주의 아빠는 해피용을 아주 좋아했다. 해피용이 생긴 건 별로이지만, 아주 성실하다고 항상 말씀하셨다. 해피용이 너무 솔직해서 단점이긴 하지만, 남을 속이거나 거짓말을 전혀 못해서 좋다고 했다. 공주는 아빠가 왜 해피용을 그렇게 좋아했는지, 이제는 조금씩 알 것 같다. 공주는 이전엔 해피용이 뚱뚱하고 촌스러스워서 싫었지만, 지금은 누구보다 고마운 사람이다.

해피용 비서는 공주가 시킨대로 공모전을 인터넷에 올렸다.

<시민의 집 디자인 대회>
응모주제: 모카스 시민의 집
응모자격: 누구나
응모형식: 시민의 집 그림에 설명 첨부
심사기준: 모카스 시민 2천명이 살아갈 집
행복, 사랑, 꿈이 담긴 집
시상내역: 공주의 스포츠카 1대
공주와 하루 데이트

이 광고가 나가자 전 세계의 디자이너들이 작품을 보냈다. 100개 나라에서 800여 작품을 보냈다.
그 중에서 3작품이 마지막 후보에 올랐다. 대한민국의 김신지, 미국의 제임스, 중국의 풍핑이 후보에 올랐다. 시민의 집 최종 디자이너를 뽑기 위해 회의를 했다. 물론 해피용 비서와 매니저 셋이서 회의를 했다.
"참, 고민 되는군. 건물 그림으로는 퐁핑이 제일 나은데. 김신지는 건물 설명이 맘에 들고..."
"공주님, 그러면 여기로 불러서 설명회를 여는 건 어떨까요? 이 건물 모양이 왜 이런지 얼마나 공간을 활용할 수 있는지 더 자세하게 물어보면 좋을 것 같아요"
"그래, 그럼 이리로 오라고 해봐."
띠리링 띠리링! 해피용 비서가 김신지, 제임스, 풍핑에게 전화를 걸었다.
"여러분은 최종후보가 되었습니다. 다음 주 수요일 설명회가 있으니 올 수 있을까요. 비행기 티켓은 보내드리겠습니다."

드디어 시민의 집 설명회가 열렸다.
제임스가 먼저 발표했다.
공주는 제임스를 보고 한눈에 반했다. 제임스는 키가 농구선수처럼 크고 금발머리에 아이돌 같은 외모를 가진 남자였다. 공주는 제임스를 보고 이상형이 바뀌었다. 공주는 이전엔 초콜릿 복근을 지니고, 굵은 목소리를 지닌 남자를 좋아했다. 공주는 너무너무 철이 없어 제임스를 그냥 합격시켜버렸다.
다음은 김신지 차례였다.
"제가 만든 디자인은 땅을 최대한 효율적으로..."
공주가 보기에 김신지는 한마디로 재수가 없었다. 얼굴은 예쁜데, 말이 많고 잘난 척을 많이 한다고 여겼다. 그래서 공주가 중간에 끼어들었다.
"아~ 시끄럽고 다음 풍핑"
김신지는 설명을 다 말하지도 못 하고 자리에 앉아

야했다.
"안녕하세요. 저는 풍핑입니다. 만약 제가 1등이 되면 공주님과 데이트는 생략할게요. 그냥 디자인 값으로 1억을 주세요. 제가 디자인한 건물은 하트 모양이고, 거지는 절대 못 들어가고..."
공주는 풍핑의 설명이 너무 길어서 잠을 잘 뻔 했다.
설명회가 끝나고 회의실에 세 사람이 모였다.
"이건 무조건 제임스야. 왜냐하면 얼굴도 잘 생겼고, 키도 크고, 헤어스타일도 좋고, 완전 내 이상형이라니까."
올리공주는 제임스를 생각하며 웃었다.
"공주님, 지금은 이상형 투표를 하는 게 아닙니다."
"매니저, 너 내가 말하고 있는데 흐름을 끊니? 아 그리고 풍핑인가 팡인가 하는 그 남자는 무조건 탈락이야. 감히 공주와의 데이트를 거부하고 디자인 값을 1억으로 달라다니, 그 남자는 너무 돈을 밝히고 허세를 부려. 짜증나!"
해피용 비서가 용기를 내어 말했다.
"공주님, 제가 보기엔 김신지가 가장 좋은 것 같습니다."
"해피용! 뭔 소리를 하는 거야. 나는 제임스 뽑을 거야"

“공주님 그럼 투표를 하시는 건 어떨까요?”
“우리 셋밖에 없는데 투표하나 마나 아냐?”
“공주님, 공항에 남아있는 직원들 다 불러오겠습니다. 아까 설명회할 때 직원들도 모니터로 다 보고 있었습니다.”
“알았어. 그렇게 해. 어차피 우리 제임스는 얼굴도 잘 생겼지. 키 크지. 디자인도 잘 하지. 무조건 제임스가 1등일 걸?”
해피용 비서는 직원들을 모두 불렀습니다.
“네, 투표 시작하겠습니다. 제임스 디자인이 가장 좋다. 손을 들어 주세요.”
모두 12명 중에서 5명이 손을 들었다.
“아~ 진짜 우리 제임스가 제일 잘 했는데...”
공주는 아쉬워했다.
“핑퐁 디자인이 가장 좋다. 손을 들어주세요.”
1표가 나왔다.
“김신지 디자인이 가장 좋다. 손을 들어 주세요.”
6표가 나왔다.
“김신지가 시민의 집 디자이너가 되었습니다.”
“이건 말도 안돼! 무효야! 무효! 내가 제임스를 밀었는데 투표 다시 해”
해피용 비서는 직원들을 내보내고 공주에게 말했다.

“공주님, 투표 결과를 인정하셔야죠”
“그럼, 김신지랑 제임스랑 같이 하라 그래. 나 제임스 못 버려.”
공주가 버럭 소리를 질렀다
“공주님, 그것도 안 됩니다.”
공주는 눈물을 흘리며 서럽게 울었다.
“내 재산으로 내 맘대로도 못해? 나 너무 심심해. 너무 흑흑”
해피용 비서는 공주가 불쌍했다. 궁전에 살던 공주가 공항 사무실에서 먹고 자고, 금으로 된 욕조에서 매일 거품목욕을 하던 공주가 매일 씻지도 못했다.
“공주님, 알겠습니다. 나가서 김신지랑 제임스에게 같이 시민의 집을 만들어보라고 전하겠습니다.”

공주는 제임스와 김신지의 작업실에 몰래 들어갔다. 공주는 충격을 먹었다. 김신지와 제임스가 나란히 딱 붙어 앉아서 다정하게 커피를 마시고 있었다.
“김신지, 너 당장 나가!”
공주는 김신지의 얼굴에 커피를 쏟았다.
“내가 디자인 하라 했지 남자를 사겨? 정말 어이 없어!”

공주는 화가 머리끝까지 솟았다. 공주는 매니저에게 자신이 한 일을 말해주었다.
"그건 공주님이 잘못 하신 것 같은데요?"
"뭐?"
"아무리 그래도 얼굴에 커피를 쏟는 건 아닌 것 같습니다."
"아니, 일을 안 하고 데이트를 하는데 그 꼴을 어떻게 봐?"
"공주님, 김신지가 그렇게 싫으시면 일주일 더 앞당겨서 하라고 하시면 되잖아요. 이런 일이 알려지면 공주님 이미지가 나빠집니다."
"그런데, 너 왜 아직도 내 옆에 있니?"
"엄마가 공주님 옆에 있으라고 했습니다."
매니저 엄마는 공항에서 일하고 있다. 매니저는 아주 성실한데, 엄마의 말을 엄청 따른다. 한마디로 마마걸이다. 매니저는 떡먹은 목소리로 바른 말만 했다. 그래서 무엇보다 꼴보기 싫었다. 아는 척도 많이 해서 이렇게 되지 않았으면 내쫓으려 했다. 공주는 매니저가 끝까지 같이 있어줘서 정말 고마웠고, 자기편이 있어서 마음이 놓였다.
띠리링 띠리링! 공주가 김신지에게 전화를 걸었다.
"아, 어제 커피 쏟은 거 미안해요. 디자인 완성을 1주일만 빨리 해주세요. 알겠죠. 끊어요."

뚜뚜뚜뚜

드디어 시민의 집 디자인이 나왔다.
김신지와 제임스가 번갈아가며 설명을 했다.
“시민의 집 1동은 시민의 살림집, 2동은 문화센터, 3동은 체육센터, 4동은 동물의 집, 5동은 식물의 집, 6동은 놀이공원, 7동은 쇼핑센터, 8동은 사랑과 평화의 집, 9동은 미래의 집, 10동은 학교입니다.”
올리공주는 얼굴이 붉어지며 화를 내었다.
“그런데, 내 궁전은 어디 있어? 지금 장난해?”
해피용 비서가 끼어들어 말했다.
“공주님, 걱정 마세요. 공주님은 사랑과 평화의 집 10층에서 살고 시민들이 안전하게 사랑과 평화를 이룰 수 있는 방법을 궁리하시면 됩니다. 공주님만이 그 일을 제대로 하실 수 있으니까요.”
해피용 비서가 공주를 한껏 띄워주니까 그제서야 화를 멈추고 공주가 미소를 지었다.
“오호호~ 사랑과 안전? 나랑 딱 어울리는 말이네. 그 일 내가 하지. 호호호”
“네 공주님 열심히 해 주세요.”
시민의 집 공사가 시작되었다.
공주는 일꾼들을 불렀다. 하지만 시민의 집을 짓는

데 필요한 일꾼이 너무 부족했다. 공주는 TV광고를 하려 했다. 하지만 돈이 부족했다. 공주는 인터넷을 뒤져보다 유튜브에 영상을 올려 홍보하기로 했다.
"안녕하세요. 저는 모카스 올리웰라 공주입니다. 우리나라에 큰불이 나서 궁전도 타고 모든 건물이 잿더미가 되었어요. 제가 그동안 모은 메달을 팔아서 시민의 집을 짓기로 했어요. 그런데 시민의 집 공사장에 일할 사람들이 너무 부족합니다. 제가 월급을 드릴테니 제발 좀 와주세요. 꿈과 희망 나눔이 있는 시민의 집으로 모두모두 오세요."
공주는 이전의 자신만만한 태도를 버리고 최대한 친절하고 귀엽게 연기를 했다. 그래서인지 공주가 시민의 집 소개 영상을 올리자 반응이 좋아 1주일 만에 누적 조회수 100만이 넘었다.

일꾼들이 몰려들었다. 빠른 속도로 집이 지어지고 있었다. 5동까지 지어졌다. 앞으로 6개월만 지나면 시민의 집이 완성된다. 공주는 이제 할 일이 없었다. 너무 심심했다. 공주는 차를 끌고 레이싱을 하러 갔다. 공주는 치타보다 빠른 속도로 달렸다. 너무 빠른 속도 때문인지 건물에 부딪쳤다. 공사장 일부가 무너졌다.
"공주님, 저희가 힘들게 지은 걸 어떻게?"

"아~ 나 내일부터 일 안 할거야"
일꾼들은 투덜거렸다. 공주는 미안했다. 그런데 일부러 그런게 아닌데, 일꾼들이 너무 화를 내니 슬며시 짜증이 일어났다.
'내가 여기 공주인데, 감히... '
공주는 시민의 집이 싫증났다. 궁전 짓는 것도 포기하고 시민의 집을 짓고 있는데, 공주의 마음을 몰라주는 것 같아 속상했다. 시민의 집만 아니었으면 지금도 레이싱대회에 나가 1등을 했을텐데. 공주는 5동까지 지은 건물들을 팔아서 다른 나라로 떠나버릴까 별 생각이 다 들었다.

공주 앞으로 한 통의 편지가 왔다.

> 공주님 안녕하세요.
> 저는 12살 소녀입니다.
> 저는 희귀병에 걸려서 앞으로 1년밖에 살지 못 합니다. 공주님이 올린 동영상을 보고 모카스 시민의 집에 꼭 가보고 싶었어요. 앞으로 6개월이 지나면 시민의 집이 완성된다고 하셨죠.
> 저도 그곳의 시민이 되고 싶어요.
> 그런데 엄마는 시민의 집에는 큰병원이 없어서 제가 살기엔 힘들다고 했어요. 큰병원이 없어도 저는 시민의 집에 꼭 가보고 싶어요.
> 공주님, 시민의 집을 꼭 완성해주세요.
> 공주님, 사랑해요.

편지봉투 속에는 소녀의 사진도 있었다. 병원에서 링거를 맞고 있는 모습이었다. 공주는 소녀의 사진을 보자 눈물이 났다. 자신이 너무 철이 없어서 12세 소녀에게 오히려 언니라고 불러야 할 것 같았다. 공주는 이제 모카스 섬에서는 절대 레이싱을 하지 않겠다고 다짐했다.

마침 비가 내렸다.

공주는 매니저를 불렀다.

“안녕, 비가 오면 생각나는 거 있지?”

“우산 갖다 드릴까요?”

매니저는 또 답답한 말을 한다.

“아니 그거 말고, 먹을 거”

“커피 드릴까요?”

“아니, 그거 있잖아. 후라이팬에 구을 때 빗소리가 난다는, 한국에서 많이 먹는다는...”

“저는 잘 모르겠는데요. 엄마에게 물어볼게요.”

매니저는 엄마에게 전화를 한다.

“공주님, 혹시 한국 파전인가요?”

“응, 맞아. 우리 파전을 만들어서 일꾼들에게 간식으로 주면 어떨까?”

“그럼, 엄마가 만들 줄 안다고 하니 엄마를 부를게요.”

“나도 같이 만들게. 재료 준비 되면 나 좀 불러.”

파전 100장을 부쳤다. 물론 공주는 옆에서 돕기보다는 먹기 바빴다. 그래도 공주가 일꾼들을 대하는 마음이 조금은 달라져 있었다.

드디어 시민의 집이 모두 완성되었다. 그리고 11동이 추가되었다. 바로 병원이다. 공주는 12세 소녀가 보낸 편지에 울컥해 병원을 추가로 지었다.
"공주님, 감사해요."
소녀는 이제 모카스 시민이 되었다. 다른 나라로 흩어졌던 모카스 시민들도 모두 돌아왔다. 시민들은 일자리를 찾았고, 행복을 찾았다.
올리웰라 공주는 시민의 집에서 사랑과 평화를 위해 일한다. 그런데 공주는 1년 중 절반은 다른 나라에 가 있다. 레이싱 때문에.
공주가 아니어도 시민들이 나라를 잘 지켜주니 정말 다행이다.

(끝)

미래의 우리 집

우리 집은
슈퍼 울트라 파워 캡슐을
먹고
지진이 나면
금이 간 벽을
혼자서 치료하고
넘어진 책상을
벌떡 세운다.

더러운 바람이
집에 들어오면
이단 옆차기로
날려버린다

사람은 200년
강아지는 50년
고양이도 50년
나무는 1000년
오래오래
우리 집에서 산다.